GILBERT DELAHAYE
MARCEL MARLIER

martine
petit rat de l'opéra

casterman

Martine avait dit à Maman :

– J'aimerais tant savoir danser comme Françoise, ma petite amie! Je crois que j'y arriverais.

– Tu sais, on ne devient pas danseuse ainsi, du jour au lendemain.

– Cela ne fait rien, j'apprendrai.

– Il faudra que tu ailles à l'école de danse.

– Si papa est d'accord, j'irai me faire inscrire, avait répondu Martine.

Maman s'est laissé convaincre. Papa a dit oui. Enfin, après avoir passé un examen médical, Martine, accompagnée de son amie Françoise, est entrée à l'école de danse.

Les premières leçons ne furent pas faciles du tout pour Martine. Mais à présent elle est la première de la classe.

Elle s'exerce à bien se tenir sur une jambe en posant la main sur la barre. Voyez comme elle est gracieuse! Si Papa était là, sûr qu'il serait fier de sa petite fille!

4

Pourtant, Mademoiselle Irène, le professeur de Martine, a dû faire preuve de patience avec sa nouvelle élève.

– Tourne la jambe en dehors, Martine. Arrondis le bras. Comme ceci, regarde... Voilà, c'est presque parfait.

Comme dit Maman, "avant de savoir danser, il faut s'entraîner à devenir souple jusqu'au bout du petit doigt".

Vingt fois Mademoiselle Irène a dû expliquer à Martine qu'on doit ouvrir le pied vers l'extérieur et lever les bras sans se raidir, avec une aisance naturelle.

– Vois-tu, Martine, un "petit rat" doit exécuter correctement les cinq positions que voici. Ce n'est pas tout. Que dirais-tu d'une danseuse qui ne saurait plier les jambes avec souplesse ni se relever sur les pointes? Cela paraît simple?

1re position

2e position

3e position

4e position

5e position

Ci-dessous : 1. demi-plié. – 2. plié. – 3. relevé sur demi-pointes.

① ② ③

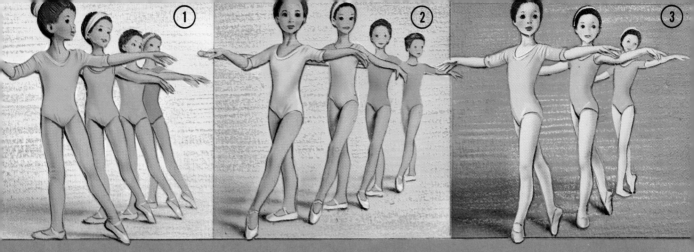

Et cependant, avant d'être une excellente élève, Martine a dû répéter et répéter encore le dégagé, le grand battement, le rond de jambe.

Ci-dessus :
1. dégagé en 2e. –
2. dégagé en 4e de-
vant. – 3. dégagé der-
rière croisé.

Ci-contre :
grand battement
ci-dessous :
rond de jambe

Ah non, pas n'importe comment ! Le mieux possible et sans perdre l'équilibre. C'est ainsi, à force de persévérance, que Martine deviendra danseuse.

– Mesdemoiselles, recommençons. Regardez-vous dans le miroir au fond de la salle et suivez donc la mesure! Une... deux... trois... quatre... Ensemble, s'il vous plaît. Nous passerons à l'exercice suivant quand celui-ci sera parfait...

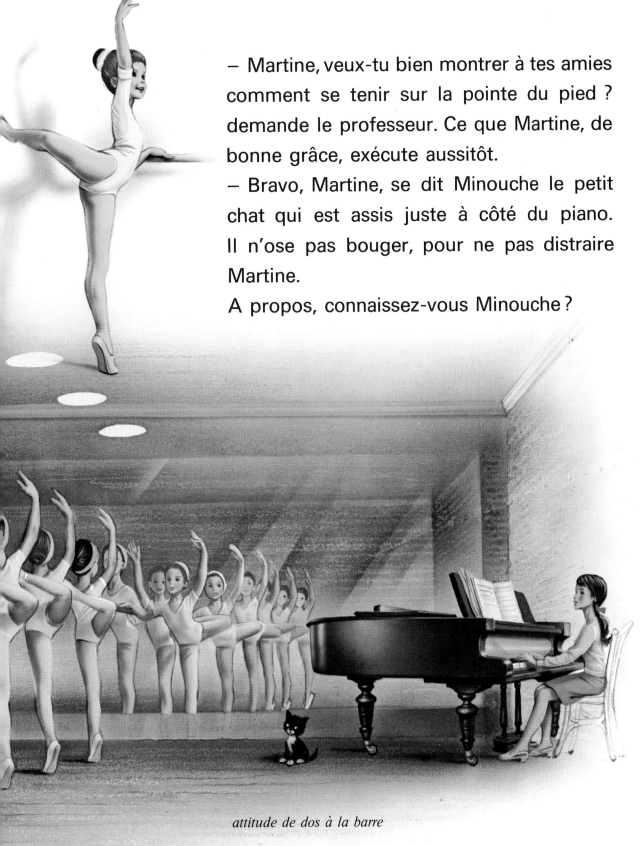

– Martine, veux-tu bien montrer à tes amies comment se tenir sur la pointe du pied ? demande le professeur. Ce que Martine, de bonne grâce, exécute aussitôt.

– Bravo, Martine, se dit Minouche le petit chat qui est assis juste à côté du piano. Il n'ose pas bouger, pour ne pas distraire Martine.

A propos, connaissez-vous Minouche ?

attitude de dos à la barre

9

Minouche vient tous les jours à l'école avec Mademoiselle Irène, sa maîtresse. Il connaît jusqu'à la pointe des moustaches les arabesques, les entrechats et les pirouettes.

Lui aussi saurait prendre des attitudes. Même, peut-être ferait-il n'importe quel exercice.

C'est ce qu'on appelle un "savant Minouche".

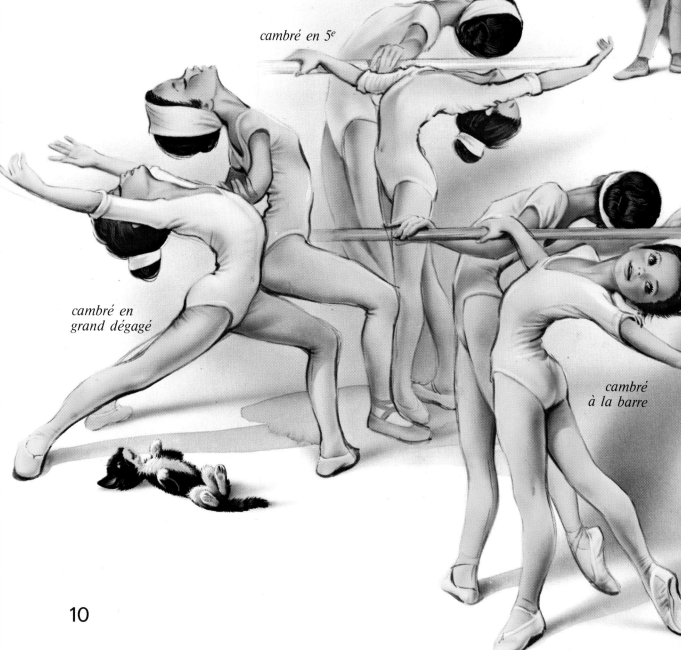

cambré en 5ᵉ

cambré en grand dégagé

cambré à la barre

Jour après jour, semaine après semaine, Martine est devenue l'amie de Minouche. (N'importe qui ne devient pas l'ami de Minouche-le-chat-de-la-maîtresse!) Jamais le petit chat n'a vu une élève aussi douée que Martine. Et, croyez-le, il en a connu des "petits rats" dans cette classe!

exercices d'assouplissement

pied à la main

*grand battement
en attitude*

12

Mais peut-être ne savez-vous pas ce que c'est qu'un "petit rat"? Demandez-le donc à Minouche.

– Mais non, vous répondra-t-il, un petit rat, ça n'a rien à voir avec les souris. Un petit rat, c'est le nom que l'on donne aux fillettes qui ont l'âge de Martine et qui suivent les cours de la classe de danse à l'Opéra.

Maintenant que vous savez ce que c'est qu'un petit rat, allez donc voir s'exercer Martine. Son professeur vous expliquera comment on devient danseuse pour de bon.

port de bras en grand écart

Pour devenir une parfaite danseuse, il ne faut pas seulement savoir exécuter des figures difficiles. Encore Martine doit-elle apprendre à balancer le bras comme pour cueillir une fleur, ou bien à lever les mains au-dessus de la tête avec grâce. Ainsi ferait une reine qui porte sa couronne.

Sur scène, le moindre mouvement a son importance.

Une danseuse est souple comme le chat, légère comme la plume, agile comme l'écureuil, gracieuse comme le cygne.

dégagé en 4ᵉ
pointe derrière
bras en couronne

mouvement d'adage

Quand Martine danse, elle peut représenter toutes sortes d'images. Par exemple : voici le feu follet dans l'herbe ou la lumière éblouissante, ou encore, tout simplement, je suis le papillon qui s'envole.

Cela ne s'apprend pas en une seule leçon et vaut bien la peine de faire un effort, ne pensez-vous pas ?

adage avec arabesque penchée au milieu

tour piqué

Mais oui, Martine, le professeur sait bien que tu as mal aux jambes quand tu rentres le soir chez toi. Ton pied ne veut plus obéir? Demain pourtant il faudra continuer à t'exercer encore si, vraiment, tu veux devenir une première étoile.

– Qu'est-ce qu'une première étoile? demande Patapouf, qui vient justement d'apporter les chaussons de pointe de Martine.

– Une première étoile, c'est la danseuse qui danse le mieux parmi toutes celles du ballet.

On vient de très loin pour la voir virevolter sur la scène. C'est elle que l'on applaudit. C'est elle encore que l'on réclame avec admiration lorsque le ballet s'achève et que les lumières vont s'éteindre bientôt dans la grande salle du théâtre où résonnent les derniers accords de l'orchestre.

Oui, Martine voudrait bien devenir un jour cette danseuse-là dont le nom figure sur les affiches et que tout le monde félicite pour son savoir-faire.

piqué arabesque

entrechat quatre

glissade "saut de chat"

pas de bourrée

grand jeté en tournant

glissade grand jeté

ports de bras

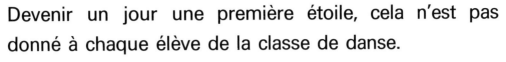

Devenir un jour une première étoile, cela n'est pas donné à chaque élève de la classe de danse.

Il faut être tout particulièrement doué.

C'est déjà très bien lorsqu'on arrive, comme Martine, à faire sans faute tous les exercices.

Pourtant, oui, le soir dans sa chambre, la tête lui tourne un peu à force d'avoir dansé tout l'après-midi avec ses compagnes. Déjà Martine se voit dans la classe supérieure, celle des grandes élèves qu'on regarde tourbillonner en attendant que vienne le tour des plus jeunes. Il lui arrive aussi quelquefois de se croire devenue la première danseuse de l'opéra.

Alors, Martine s'endormant se met à rêver. Elle devient légère, légère. Elle est comme une plume soulevée par le vent. Sans peine, elle exécute des glissades, des entrechats. Elle s'envole en tournant. Elle s'élance dans un pas de bourrée. Elle fait des bonds curieux appelés sauts de chat et grands jetés.

Et puis, tout à coup, cela s'arrête. Quelqu'un applaudit. Tiens, voilà Minouche qui ronronne d'admiration. Martine se détend comme si tout son corps se défaisait. Elle se dit : "Je vais sûrement me réveiller."

Voulez-vous savoir quel fut le plus joli rêve de Martine petit rat? Le voici :

Un soir, elle était sur la grande scène du théâtre.

Elle achevait de danser le ballet de Cendrillon. Jamais elle n'avait dansé si bien que ce soir-là. Son cœur battait, battait. Elle était si émue qu'elle n'entendit même pas les douze coups de minuit qui justement sonnaient à ce moment-là. Minouche, dans les coulisses, s'écria :

– Bravo, bravo, tu es une vraie Cendrillon! C'est...

Mais Minouche n'eut pas le temps d'achever sa phrase.

Toute la scène fut illuminée d'un coup. Alors, le prince arriva et Martine fut transformée en princesse.

Le prince la souleva dans la lumière, à bout de bras, et tous les amis de Martine qui étaient venus la voir danser ce soir-là se mirent à l'applaudir longtemps, longtemps, comme s'ils n'allaient jamais s'arrêter.

Tel fut le plus beau rêve de Martine petit rat.

Pourtant, qui sait si elle ne sera pas un jour première danseuse pour de bon ?

http://www.casterman.com
Imprimé en Belgique par Casterman, s.a., Tournai. Dépôt légal : 3ᵉ trimestre 1972 ; D. 1985/0053/194.
Déposé au ministère de la Justice, Paris (loi n° 49.956 du 16 juillet 1949 sur les publications destinées à la jeunesse).
ISBN 2-203-10122-9   ISSN 0750-0580